找回
古代神像的
密码宝石

[韩] 柳京善 著

[韩] 金美善 绘

邓淑珏 译

U0161766

CSK 湖南科学技术出版社·长沙

上册回顾

小·民和莉莉正在使用笔记本电脑时，突然被程序世界吸了去！他们在程序王国遇到了骑士贝夫。

程序王国受到了蠕虫病毒的侵袭，国王生病了。

为了给国王治病，三个小·伙伴需要在程序王国的八座城市完成任务才能够制作"杀毒胶囊"。于是他们开始了完成任务的旅程。

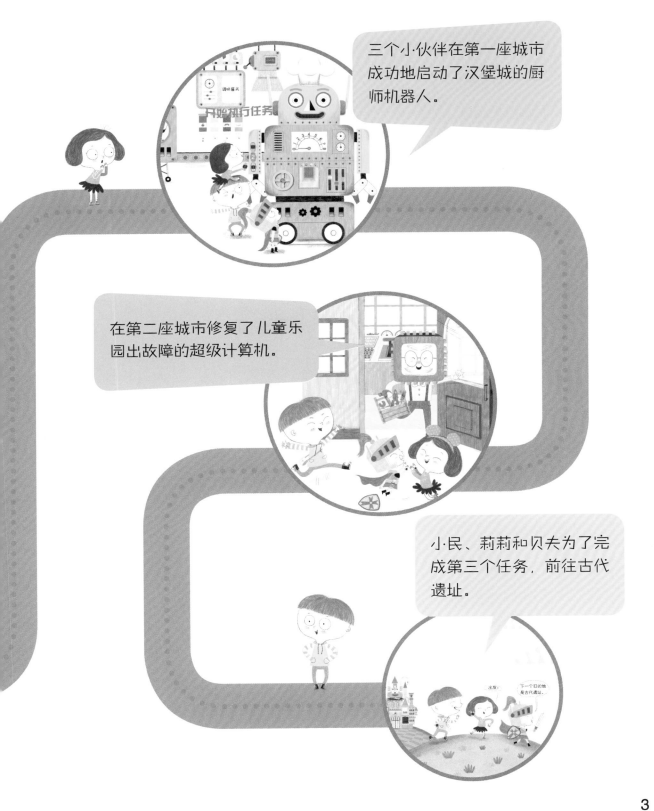

三个小伙伴在第一座城市成功地启动了汉堡城的厨师机器人。

在第二座城市修复了儿童乐园出故障的超级计算机。

小民、莉莉和贝夫为了完成第三个任务，前往古代遗址。

程序王国

任务完成！

任务完成

蠕虫病毒王国

当前
位置

登场人物

大家好！我是小学三年级的小民，今年九岁了，我最喜欢数学。

我是莉莉，今年六岁了，正在上小学一年级。我最喜欢将玩具进行整理分类。

小骑士贝夫

我是住在程序王国的小骑士贝夫！我正在执行任务，保护王国免受病毒侵害。

小民

莉莉

我是古代遗址守护者，名字叫伊斯盖。我正在寻找神像丢失的密码宝石。

伊斯盖

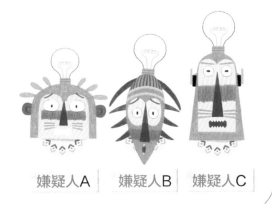

以下是偷窃密码宝石的嫌疑人，都是古代部落的原住民。究竟谁是犯人呢？

嫌疑人A | 嫌疑人B | 嫌疑人C

我是罗伊，旁边是我弟弟罗亚。我们是蠕虫病毒王国的兄弟。我们的目标是从程序王国窃取和控制信息。

蠕虫病毒罗伊和罗亚兄弟

小民、莉莉和贝夫为了完成第三个任务，来到了古代遗址。

贝夫向小民和莉莉简单介绍了古代遗址的基本情况：
"古代遗址是程序王国保存古代遗迹的旅游胜地。那里有传说中的女神像，女神像会守护我们的王国并实现大家的愿望。所以来到这里的人们，一定会向女神像许愿。"

听了贝夫的介绍，莉莉表示出疑惑：
"既然是旅游胜地，为什么没人呢？"
小民和贝夫环顾四周，发现真的一个人都没有。
"真的啊！好像发生了什么事情。"

旅游咨询处
100米

突然，三个人的任务手表发出了亮光，他们分别收到了一条信息。

"大家快看，有信息！"

"快去旅游咨询处看看吧！"

请前往旅游咨询处！

他们按照任务手表的指示前往旅游咨询处，但是进入不了。

只见门上挂着写有"营业结束"的标识牌。

"里面有人！"

莉莉从咨询处的窗户向里看，发现有人在里面。

小民和贝夫也透过窗户看了看。

他们看到一个穿着守护者衣服的人的背影，于是贝夫敲了敲旅游咨询处的大门。

13

一个穿着守护者衣服的人从里面走了出来，有气无力地说：

　　"孩子们，现在不能进入古代遗址了。以后再来吧。"

　　贝夫急忙给他看了看任务手表，说：

　　"我们是来完成任务的！"

　　穿着守护者衣服的人看到任务手表，吓了一跳，问道：

　　"难道你们就是完成儿童乐园任务的孩子们吗？"

　　"是的。您怎么知道的呢？"

　　"我收到了儿童乐园守护者泰普斯的信息。我是守护古代遗址的伊斯盖。大家先进来吧。"

15

"发生什么事情了？"贝夫问道。

伊斯盖回答道："古代遗址有一座传说中的女神像，名字叫阿达·洛芙莱斯。女神像的额头上有一颗具有神秘力量的密码宝石。据说这颗宝石发出红光时，就意味着王国会有危险；而如果在发出蓝光时向它许愿，愿望就能够实现。但是前不久，有人偷走了这颗宝石。"

16

阿达·洛芙莱斯
1815年12月10日—1852年11月27日
诗人拜伦的女儿
世界上第一位给计算机写程序的人

"谁会做出这种事？"

"是蠕虫病毒干的吗？"

小民和莉莉一惊，伊斯盖摇了摇头。

"应该不是。今天早上我们找到了三个嫌疑人，他们都是古代部落里的原住民。你们能帮我们找到犯人吗？如果找到犯人和宝石，我将给你们任务珠子。"

　　"没问题！如果已经确定嫌疑人，我们就一定可以很快找到犯人。"贝夫信心满满地回答。

　　但伊斯盖还是面带难色地说道：

　　"可是有一个问题，古代部落和我们说话的方式不同。语言相通才能够找到犯人，但是我们根本无法沟通。因为我们仅有的一台翻译机器人也出故障了。"

"难道没有一本整理收集了古代部落语言的词典吗？"

面对莉莉的提问，伊斯盖突然灵光一现，大声说道：

"词典？对了！有设计翻译机器人时使用的资料。我这就拿过来！"

词典

古代语言词典

小民、莉莉和贝夫一边看词典一边聊天。

"由长的和短的信号组成的密码叫作摩尔斯电码，对吧？"

"那怎么用这个电码进行对话呢？"

"嗯……我也不太清楚。"

伊斯盖听了他们的对话，提出了一个建议：
"跟我一起去古代遗址，直接和嫌疑人见面怎么样呢？"
"好主意！"
于是，他们跟随着伊斯盖前往古代遗址。

"那里正好有两个人在对话。"
伊斯盖指着古代遗址中古代部落的入口。
只见那里站着两名部落原住民。
莉莉疑惑地问：
"对话？什么声音都听不到啊！"

"大家仔细看看，能看到他们握紧后又打开的拳头吗？古代部落原住民在白天用拳头握紧和打开的方式 进行交流，晚上则用将头顶上的灯泡关了再打开的方式  进行对话。这样做具体的原理我也不太清楚。"

伊斯盖说完，便带着小民他们前往监狱与嫌疑人见面。

25

古代部落的监狱建在洞窟里，装有铁栅栏门。

伊斯盖走了很久，最后停在了上方分别写着字母 A、B、C 的三间牢房前，三名嫌疑人分别被关在这里。

"这几名都是嫌疑人。但犯人只有一名，而且只有犯人在说谎。"

听完伊斯盖的话，贝夫紧接着说：

"那我们只要找到那个撒谎的人就可以知道犯人是

谁吗？"

伊斯盖笑着点了点头：

"没错。让我们先来听一听这几名嫌疑人的陈述吧。"

小民、莉莉和贝夫走向嫌疑人Ａ，嫌疑人Ａ露出非常委屈的表情，紧握着拳头开始陈述。他的方式和大家在监狱外面看到的那两个原住民沟通的方式一样。

大家又来到嫌疑人 B 的牢房，听他的陈述。

嫌疑人 B 突然跑到牢房门边，指着嫌疑人 A 的牢房，用握紧拳头又张开的方式开始进行陈述。

最后，大家来到嫌疑人 C 的牢房。

嫌疑人 C 用关掉头顶上的灯泡再打开的方式进行陈述。

小民和莉莉听了嫌疑人 C 的陈述，觉得非常奇怪。

"不是说灯泡只在晚上使用吗？"

"难道是因为牢房太黑才用这种方式？"

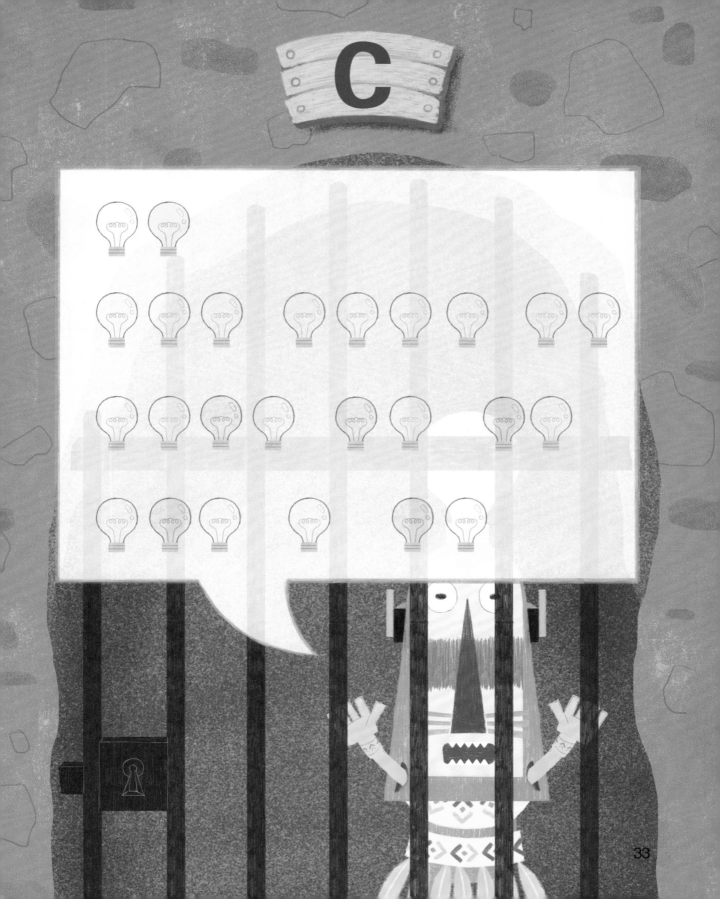

见完三名嫌疑人后，小民等人聚集在牢房隔壁的房间。

小民想了很久，突然大声地说：

"我想我知道共同点了！

嫌疑人 A 和嫌疑人 B 是将拳头握紧后张开，使用'拳头'和'布'的方式 进行陈述。

嫌疑人 C 则是关掉头顶的灯泡后再打开，使用'关'和'开'的方式 进行陈述。

将两种表达方式组合在一起进行分析，谁是犯人就一目了然了！"

听完小民的话，贝夫点了点头说：

"对！摩尔斯电码也是用点和线两种符号书写的。我们找到了古代部落语言和摩尔斯电码的共同点！"

贝夫笑着翻开了《古代语言词典》，说：

"让我们对照摩尔斯电码表，来解析嫌疑人说的话吧。"

任务是什么？

在解析三名嫌疑人的陈述之前，
让我们先整理一下到目前为止发生的事情吧。
请在下面的框中逐一写出来。
参考第 16—17 页。

什么时候？
女神像的密码宝石
丢失时。

在哪里？
在古代遗址。

谁？
小民、莉莉和
贝夫。

为什么？

怎么做？

做什么？

这次的任务应该如何解决呢？

请写在例下面的方框中。

参考第 26—27 页，第 34—35 页。

寻找解决问题的方法！

古代遗址的任务是什么?

问题是什么?

任务是什么?

听一听嫌疑人的陈述。

一起来编程吧!

我们身边的翻译机器人。

古代遗址

想一想解决问题的方法。

用摩尔斯电码进行解析。

用 0 和 1 表示。

用两种信号表示。

解析嫌疑人说的话。

制定算法。

设计翻译机器人。

翻译机器人和事件驱动。

犯人就在其中。

听一听嫌疑人的陈述

嫌疑人 A、B、C 使用了古代部落语言。
如果能翻译出这种语言，就能够找到犯人。
让我们先把嫌疑人说的话整理一下吧。

41

用摩尔斯电码进行解析

摩尔斯电码和古代部落语言有一个共同点，那就是摩尔斯电码使用线和点两种符号，古代部落语言也使用两种方式。

那么，我们先把古代部落语言转换成摩尔斯电码，怎么样？

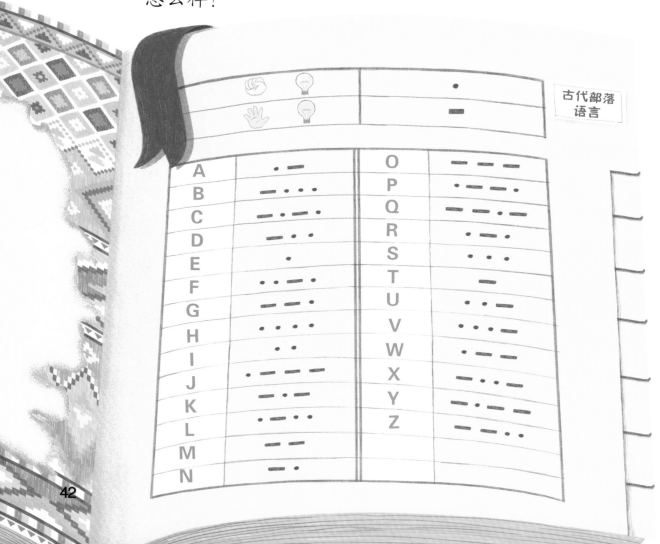

整理成表格比较容易理解。

首先观察表格，试着把古代部落语言转换成摩尔斯电码。

古代部落语言	
摩尔斯电码	

接着我们试着将摩尔斯电码转换成中文吧。

摩尔斯电码	
中文	

用0和1表示

如果翻译机器人想要解析摩尔斯电码，就必须把点和线转换成 0 和 1。

因为翻译机器人是由计算机构成的，而计算机语言只有 0 和 1。

将下列表格中摩尔斯电码的点（·）换成 0，线（—）换成 1。

		·		0
		—		1

用0和1
表示

A	·—	01	O	———	111
B	—···	1000	P	·——·	0110
C	—·—·	1010	Q	——·—	1101
D	—··	100	R	·—·	010
E	·	0	S	···	000
F	··—·	0010	T	—	1
G	——·	110	U	··—	001
H	····	0000	V	···—	0001
I	··	00	W	·——	011
J	·———	0111	X	—··—	1001
K	—·—	101	Y	—·——	1011
L	·—··	0100	Z	——··	1100
M	——	11			
N	—·	10			

现在让我们自己试一试。

观察下面的表格，先将古代部落语言转换成摩尔斯电码，再换成用 0 和 1 表示的形式。

古代部落语言	(手势图)			
摩尔斯电码	▬ ·			
0 和 1				

为什么计算机语言只有0和1？

人们通过文字传递信息，而计算机则通过电流传递信息。就像如果想和外国人对话就得使用外语一样，想和计算机对话就得使用计算机语言，计算机语言正是由 0 和 1 构成的。

用两种符号表示

用两种符号可以表示几个词语呢？

例如，一个灯泡可以表示"关"和"开"两种符号形式。

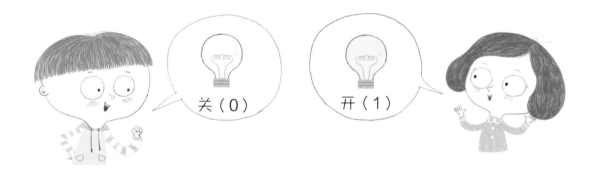

那么，如果有两个同样的灯泡，结果会怎样呢？

可以有更多样的表达吧？就像下图所示一样。

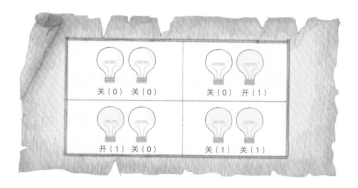

4 个灯泡可以表示 16 种组合。

把下方写着 1 的灯泡涂成黄色，表示"灯亮了"。

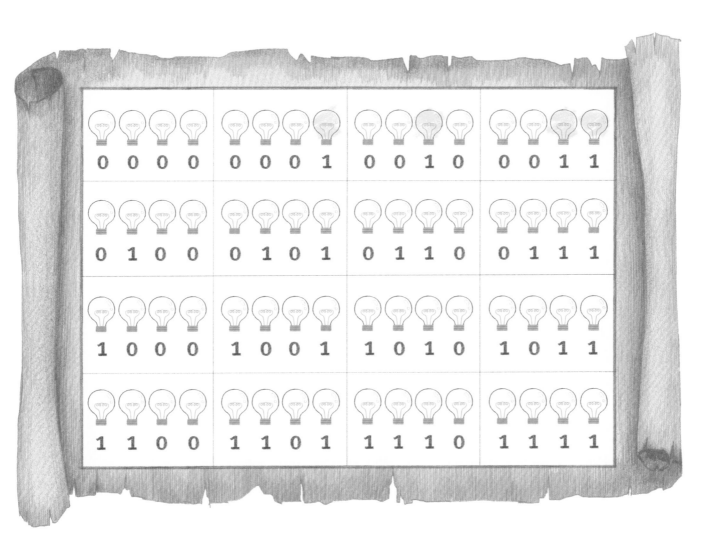

灯泡的数量越多，表现方式也越多，对吧？

计算机也同样如此。

可以用这种方式表示各种各样的字母或数字。

解析嫌疑人说的话

古代部落语言的表达方式有两种，就像计算机语言和摩尔斯电码分别使用两种符号一样。只要知道这两种表达方式就可以解析嫌疑人的话。

古代部落原住民的语言可以像下面表格中的方式一样进行转换。

观察下列表格，把嫌疑人说的话转换成用 0 和 1 表示的形式吧。

		古代部落语言
✊ 💡	0	
✋ 💡	1	

嫌疑人 A

嫌疑人B

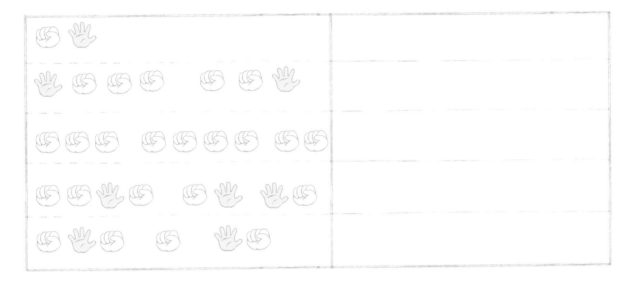

嫌疑人C

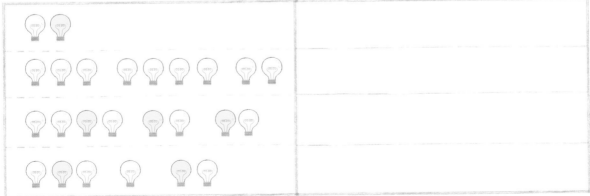

让我们观察右边的表格，并解析已经用 0 和 1 转换后的嫌疑人说的话。

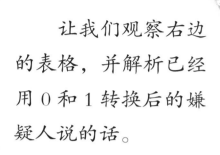

A	01	O	111
B	1000	P	0110
C	1010	Q	1101
D	100	R	010
E	0	S	000
F	0010	T	1
G	110	U	001
H	0000	V	0001
I	00	W	011
J	0111	X	1001
K	101	Y	1011
L	0100	Z	1100
M	11		
N	10		

嫌疑人 **A**

011	111	
1000	001	
000	0000	00
0010	01	10
010	0	10

嫌疑人B

01	
1000 001	
000 0000 00	
0010 01 10	
010 0 10	

嫌疑人C

01	
000 0000 00	
0010 01 10	
010 0 10	

设计翻译机器人

能够解析古代部落语言真是太好了，但如果每次对话都需要查词典，应该会很麻烦吧？这就是我们需要翻译机器人的理由。因为它会自动进行翻译。

原来的翻译机器人出故障了，我们再设计一个新的翻译机器人，怎么样？

让计算机按顺序处理指令是很容易的。

沿着图中的旗帜依次通过迷宫。

出发

③ 对照摩尔斯
电码，查找
字符。

② 将转换后
的语言放
入目录。

① 将古代部落
的语言转换
为0和1。

④ 显示文字。

到达 → 翻译结束

53

翻译机器人和事件驱动

如果翻译机器人想要翻译古代部落语言，则必须在翻译机器人中输入需要翻译的内容，然后按照前文所说明的顺序来处理指令。这时，翻译机器人的操作者通过键盘输入或用鼠标点击的操作进行翻译，这在程序王国称为"事件驱动"。

好神奇啊！那我试着把嫌疑人A说的话输入翻译机器人中！

54

莉莉很认真地把嫌疑人 A 说的话输入翻译机器人中。

这样翻译机器人就会识别为"事件驱动",然后告诉我们翻译的结果。

启动应用程序的事件驱动

想要启动汽车,必须用钥匙进行发动,程序也同样如此。应用程序需要用户的启动才可以工作。这种让应用程序启动的行为被称为"事件驱动"。存在于计算机"事件驱动"中的应用程序,会等到"事件驱动"开始时才启动。用户直接使用鼠标或键盘是引发"事件驱动"最常见的方式。

犯人就在其中

既然古代部落语言可以解析，那么现在我们就去查找犯人吧。

伊斯盖告诉我们的线索会对查找犯人有帮助。

线索1：
只有犯人在说谎。

线索2：
犯人只有一名。

如果推断是真的就标上"○"，如果是假的就标上"×"，以此推出谁是犯人。

分类		A说谎	B说谎	C说谎
A的陈述	我不是犯人			
B的陈述	A不是犯人			
C的陈述	A是犯人			

以"只有犯人在说谎"的线索 1 为基准填写表格。请给说谎的人标上"×"，给说真话的人标上"〇"。

	分类	A说谎
A的陈述	我不是犯人	
B的陈述	A不是犯人	
C的陈述	A是犯人	

A 如果在说谎，那么 B 也在说谎，这样的话 A 和 B 都是犯人，但这就和线索 2"犯人只有一名"相悖。即，A 不可能是犯人。请将下列表格中的空格填写完毕。

	分类	A说谎	B说谎	C说谎
A的陈述	我不是犯人	假（　）		
B的陈述	A不是犯人	假（　）	假（　）	
C的陈述	A是犯人	真（　）		假（X）

犯人只有一名（线索 2），只有犯人在说谎（线索 1），所以犯人就是 ☐ 。

我们身边的翻译机器人

我们身边也有帮助我们进行沟通的翻译机器人。
让我们逐一来看一看都有哪些吧！

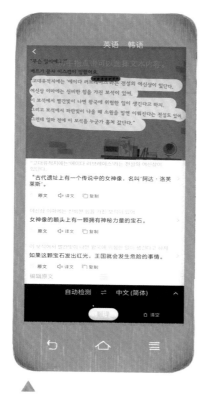 

▲
在智能手机上，使用百度翻译器进行翻译。

这个就是百度翻译，在计算机或智能手机上都可以使用。它除了能将英语、日语等外语翻译成中文外，还有翻译照片中文字的功能。

随着科学技术的发展，现在即使是非语言也可以进行翻译。例如，有一种应用软件可以通过分析婴儿的哭声，告诉我们婴儿哭闹的原因。

▶
通过尾巴可以了解宠物狗感情的"尾巴说"。

还有一种分析宠物狗感情的翻译机器人，可以像皮带一样系在宠物狗的尾巴上。通过解析宠物狗尾巴的运动，它可以告诉我们狗狗想表达什么，心情如何等。我们甚至还可以和狗狗交流，是不是很神奇？

小民、莉莉和贝夫围在一起进行推理。

"如果嫌疑人 A 和嫌疑人 B 是犯人，两个人都得同时说谎才可以。所以犯人是独自说谎的嫌疑人 C。"

"伊斯盖叔叔！嫌疑人 C 就是犯人！"

他们把推理结果告诉了正在监视嫌疑人的伊斯盖。

随后莉莉指着嫌疑人C的牢房，说：
"在嫌疑人C的牢房里，我听到了说话的声音！"
小民、贝夫和伊斯盖听了莉莉的话后，真的在嫌疑人C的牢房里听到了声音。

61

"刚才听到说话的声音了吗？"
"我听到了！不会是罗伊和罗亚吧？"
小民和莉莉有点怀疑。
听到这番话的伊斯盖忍不住好奇地问：
"罗伊和罗亚是谁？"

"就是破坏儿童乐园的蠕虫病毒兄弟！我得确认一下。"
贝夫拿出了在儿童乐园迷晕蠕虫病毒兄弟的消毒喷雾，喷向了牢房里的嫌疑人C。

嫌疑人C突然晕过去了。

伊斯盖打开牢房铁门，走进去看了看嫌疑人C。

"咦？衣服上有拉链。这不是玩偶的服装吗？"

伊斯盖拉开拉链，看到了晕倒的罗伊和罗亚，密码宝石也跟着滚了出来。

就在这时，小民、莉莉和贝夫的任务手表也同时亮了起来。

任务成功！
宝石寻找完毕。

晕倒的罗伊和罗亚最终被关进了监狱。

小民、莉莉和贝夫跟着伊斯盖来到了女神像前。

"多亏你们的帮助，我才能找到犯人和宝石。给！这是我承诺给你们的任务珠子。"

"谢谢！"

贝夫笑着接受了任务珠子。

伊斯盖在女神像额头上嵌入了失而复得的宝石。

就在这时，宝石突然发出蓝色的亮光。

"发出蓝色亮光时，可以向女神像许愿！"

莉莉想起了伊斯盖的话。

莉莉很想爸爸妈妈，于是她许下了回家的愿望。

宝石的蓝光包围住小民和莉莉，小民和莉莉瞬间被蓝色亮光吸了进去。

"小民！莉莉！"贝夫大声喊道。

小民和莉莉在刺眼的亮光照射下紧紧地闭上双眼。

过了一会儿，亮光消失了，他们小心翼翼地睁开眼睛。

令小民和莉莉吃惊的是，他们回到了想念已久的家。

书桌和笔记本电脑全都是原来的样子。

"是我们的家，没错！这是怎么回事？"小民一脸疑惑地问。

莉莉紧接着说：

"宝石发出蓝色亮光时，我许了愿，看来是我的愿望实现了！妈妈！"

莉莉大声喊妈妈，妈妈走进来问道：

"我的公主怎么啦？小民，你还没挑选好礼物吗？"

小民和莉莉突然回家后，程序王国会变成什么样子呢？

设计汉堡城的厨师机器人

小民和莉莉突然被吸进程序王国！他们和骑士贝夫一起冒险拯救陷入危险的程序王国。只有完成八座城市的任务，才能拯救程序王国。小民、莉莉和贝夫如何在汉堡城完成第一个任务呢？

启动儿童乐园的超级计算机

顺利启动厨师机器人的小民、莉莉和贝夫到达了下一个任务地点——儿童乐园。但是……游乐设施怎么都一动不动呢？究竟发生了什么事情？

写给家长的话

　　本书分为多个活动地，孩子们可以在其中学习故事和编程的概念。活动场所的每个环节都包含让孩子们学习一种或多种编程概念的活动。此外，为避免家长指导困难，我们在每个环节的末尾都设立了"计算思维能力 UP！"栏目。

任务是什么？（见第36页）

　　这是以故事为基础，找出问题并思考解决方案的环节。请让孩子独立找到解决问题的方法。

　　（谁）小民、莉莉、贝夫；（什么时候）女神像的密码宝石丢失时；（在哪里）在古代遗址；（为什么）因为女神像额头上的密码宝石不知被谁偷走了；（怎么做）解析古代部落的语言后，从三个嫌疑人中找出犯人；（做什么）需要重新找回丢失的女神像宝石。

听一听嫌疑人的陈述（见第40页）

　　这是为解决问题而收集信息的环节，整理故事中嫌疑人说过的话。

用摩尔斯电码进行解析（见第42页）

　　在故事中，我们发现，伊斯盖带来的《古代语言词典》与嫌疑人的对话存在着共同点，以此为基础，请将古代部落语言转换为摩尔斯电码和中文。

正确答案

古代部落语言	🖐🤚 🤚🤚 🤚🤚🤚🤚 🤚🖐 🖐🖐🖐
摩尔斯电码	▬▪ ▪▪ ▪▪▪▪ ▬▪▬ ▬▬▬
中文	你好

用0和1表示（见第44页）

要想给计算机发出指令，必须使用由0和1组成的计算机语言。在该环节中，我们让翻译机器人练习理解摩尔斯电码。请参阅摩尔斯电码表，将"·"转换为0，将"—"转换为1，然后将古代部落语言转换为用0和1来表示的形式。

正确答案

古代部落语言			
摩尔斯电码	—· ··		
	···· · ·— · — — —		
0和1	10 00		
	0000 01 111		

用两种符号表示（见第46页）

即使只有两种符号，组合起来也可以表示多个词语或数字。这是为了学习这个概念而设计的环节。

正确答案

0 0 0 0	0 0 0 1	0 0 1 0	0 0 1 1
0 1 0 0	0 1 0 1	0 1 1 0	0 1 1 1
1 0 0 0	1 0 0 1	1 0 1 0	1 0 1 1
1 1 0 0	1 1 0 1	1 1 1 0	1 1 1 1

解析嫌疑人说的话（见第48页）

这是正式解析嫌疑人说的话的环节。参考摩尔斯电码表，将嫌疑人的讲述内容转换为用0和1表示的形式，然后再转换成中文。

正确答案　嫌疑人A

011	111		我
1000	001		不
000	0000	00	是
0010	01	10	犯
010	0	10	人

正确答案　嫌疑人B

01			A
1000	001		不
000	0000	00	是
0010	01	10	犯
010	0	10	人

正确答案　嫌疑人C

01			A
000	0000	00	是
0010	01	10	犯
010	00	10	人

设计翻译机器人（见第52页）

请按顺序连接迷宫的旗帜，帮助三名嫌疑人走出迷宫。在此过程中，孩子们将学习到翻译机器人程序的算法流程，并掌握解决问题过程中的一般方法。

翻译机器人和事件驱动（见第54页）

所谓"事件驱动"，是让应用程序启动的行为。应用程序必须在"事件驱动"发生时才能够处理指令。当翻译机器人进行翻译时也同样如此。请让孩子们明白：只有发生"事件驱动"才能够进行翻译。

犯人就在其中（见第56页）

通过嫌疑人的对话推断线索来寻找犯人，提高数学推理能力。伊斯盖说："犯人只有一名并且在撒谎。"请以此为基础推论出谁是犯人。

正确答案 **C是犯人。**

	分类	A说谎	B说谎	C说谎
A的陈述	我不是犯人	假（×）	假（×）	真（○）
B的陈述	A不是犯人	假（×）	假（×）	真（○）
C的陈述	A是犯人	真（○）	真（○）	假（×）

我们身边的翻译机器人（见第58页）

这是整理我们身边存在的翻译机器人事例的环节。

图书在版编目（CIP）数据

程序王国的冒险. 03，找回古代神像的密码宝石 /（韩）柳京善著；邓淑珏译. — 长沙：湖南科学技术出版社，2024.4

ISBN 978-7-5710-2086-6

Ⅰ.①程… Ⅱ.①柳… ②邓… Ⅲ.①程序设计—少儿读物 Ⅳ.① TP311.1-49

中国国家版本馆 CIP 数据核字（2023）第 040560 号

著作权合同登记号：18-2024-127

CHENGXU WANGGUO DE MAOXIAN 03 ZHAOHUI GUDAI SHENXIANG DE MIMA BAOSHI

程序王国的冒险 03 找回古代神像的密码宝石

著　　者：［韩］柳京善
绘　　者：［韩］金美善
译　　者：邓淑珏
出 版 人：潘晓山
责任编辑：杨 旻 李 霞
营销编辑：周 洋
封面设计：李 庄
出版发行：湖南科学技术出版社
地　　址：长沙市芙蓉中路一段 416 号泊富国际金融中心
网　　址：http://www.hnstp.com
湖南科学技术出版社天猫旗舰店网址：
　　　　　http://hnkjcbs.tmall.com
邮购联系：本社直销科 0731-84375808

印　　刷：长沙市雅高彩印有限公司
　　　　　（印装质量问题请直接与本厂联系）
厂　　址：长沙市开福区中青路1255号
邮　　编：410153
版　　次：2024 年 4 月第 1 版
印　　次：2024 年 4 月第 1 次印刷
开　　本：880mm×1230mm 1/16
印　　张：4.75
字　　数：74 千字
书　　号：ISBN 978-7-5710-2086-6
定　　价：48.00 元

（版权所有 · 翻印必究）